MathStart®
洛克数学启蒙 ❸

地球日，万岁

[美]斯图尔特·J.墨菲 文　　　[美]雷尼·安德里亚尼 图　　　静博 译

海峡出版发行集团 | 福建少年儿童出版社
THE STRAITS PUBLISHING & DISTRIBUTING GROUP | FUJIAN CHILDREN'S PUBLISHING HOUSE

位值

献给马克·麦维克——为他的地球日提议高呼万岁。

——斯图尔特·J.墨菲

献给斯图尔特，理所当然。

——雷尼·安德里亚尼

著作权合同登记号：图字 13-2023-038号

图书在版编目（CIP）数据

洛克数学启蒙.3.地球日，万岁 / (美) 斯图尔特
·J.墨菲文；(美) 雷尼·安德里亚尼图；静博译. --
福州：福建少年儿童出版社，2023.9
ISBN 978-7-5395-8238-2

Ⅰ.①洛… Ⅱ.①斯… ②雷… ③静… Ⅲ.①数学 -
儿童读物 Ⅳ.①O1-49

中国国家版本馆CIP数据核字(2023)第074363号

LUOKE SHUXUE QIMENG 3 · DIQIU RI, WANSUI

洛克数学启蒙3·地球日，万岁

著　　者：[美] 斯图尔特·J.墨菲 文　[美] 雷尼·安德里亚尼 图　静博 译
出 版 人：陈远　出版发行：福建少年儿童出版社 http://www.fjcp.com　e-mail:fcph@fjcp.com　社址：福州市东水路 76 号 17 层（邮编：350001）
选题策划：洛克博克　责任编辑：曾亚真　助理编辑：赵芷晴　特约编辑：刘丹亭　美术设计：翠翠　电话：010-53606116（发行部）　印刷：北京利丰雅高长城印刷有限公司
开　　本：889 毫米 ×1092 毫米　1/16　印张：2.5　版次：2023 年 9 月第 1 版　印次：2023 年 9 月第 1 次印刷　ISBN 978-7-5395-8238-2　定价：24.80 元

地球日，万岁

"这地方可太乱了。"瑞安说。

"所以我们才来这儿清理垃圾。"卡莉说，"快点，行动起来吧！"

枫叶街学校的"拯救地球"俱乐部正在打扫吉罗伊公园，这儿是今年地球日庆祝活动的举办地。

他们捡起糖果包装纸、皱巴巴的报纸、空咖啡杯、旧传单、破网球，还有很多铝制易拉罐。

回收利用和堆肥处理可以减少垃圾被填埋或焚烧，从而减轻空气污染。

"你看，"瑞安接着说，"即便我们把公园清理干净了，这里看起来还是不够漂亮。我觉得应该在入口处种上一些鲜花。"

吉罗伊公园只有一些树和草地——仅此而已。

"与其扔掉这些铝制易拉罐，不如把它们送到废品回收中心，"瑞安继续说道，"那样我们就能换到一些钱，也许就够用来买花栽在这里了。"

俱乐部的指导老师沃森非常赞同瑞安的这个主意，她说："如果你们能攒到 5 000 个铝制易拉罐，就能换到足够多的钱买一些漂亮的花回来。"
"我觉得我们找不到那么多易拉罐呀。"卢克说。

企业每年会花费大约10亿美元向回收中心购买铝。

9

俱乐部成员将捡来的所有铝制易拉罐进行整理。瑞安、卡莉和卢克在每个小袋子里装了 10 个易拉罐。当装满 10 个小袋子时，他们就会把这 10 个小袋子装进一个大袋子，因此每个大袋子里装了 100 个易拉罐，这样方便统计数量。

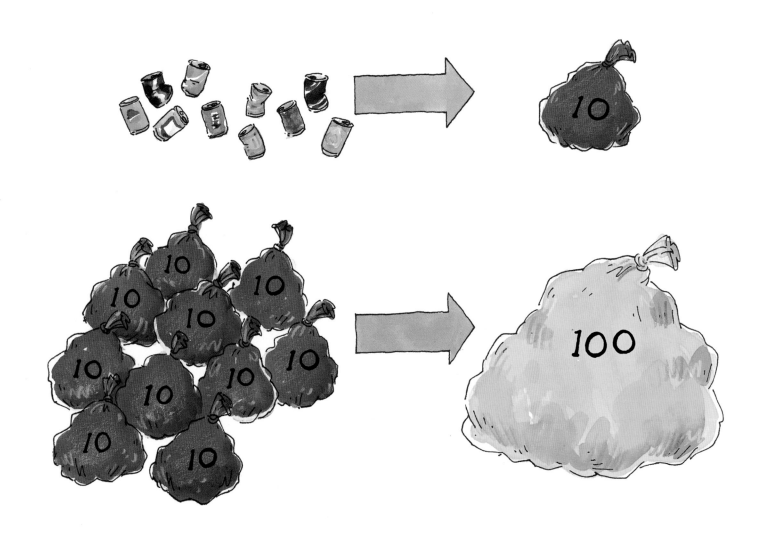

他们一共装满了 3 个大袋子，5 个小袋子，还余下 9 个易拉罐。
他们把袋子放在了垃圾桶旁，打算让沃森老师傍晚时把它们全部带走。

但是第二天早上到了学校，沃森老师叫来瑞安、卡莉和卢克。

"一个坏消息，"沃森老师说，"公园收垃圾的人不知道那些易拉罐是用来回收的，他直接把易拉罐和其他垃圾一起运到垃圾场了。"

"我就知道，"卢克说，"我们根本达不成目标！"

"别灰心！"瑞安说，"我们可以继续收集铝制易拉罐，就从我们的校园开始吧！"

"我有点担心，"卢克疑惑地说，"除非大家都带铝制易拉罐来学校。"

✧全世界每年使用铝制易拉罐约 200 000 000 000（2 000亿）个。

✧全世界一年的废纸回收量接近 300 000 000 000（3 000亿）千克。

将一个铝制易拉罐回收、处理、熔化，重新变成一个新罐子，只需要60天。

全球每年回收利用的塑料瓶约96 000 000 000（960亿个）。

地球日，万岁
迄今已回收铝制易拉罐：

帮助我们达到收集5 000个的目标，实现在吉罗伊公园种花的愿望。

14

管理员琼斯老师在走廊上放了一个大桶。
卢克在墙上贴了一张大海报。

沃森老师帮瑞安打印了一份传单，说明了
他们的目的。瑞安还在上面画了插图。

15

第二天，有几个同学带了一些铝制易拉罐来学校。放学后，瑞安、卡莉和卢克去查看大桶里的易拉罐数量。

他们把易拉罐整理好放进袋子里。现在，他们有了 5 个小袋子，还余下 6 个易拉罐。

卡莉在海报上写上"56"。"我们需要更多同学的帮助。"她说。

卡莉、卢克和瑞安获得许可去各个班级宣传，号召大家都来帮忙。卡莉为此忙了一个晚上，所以她准备得很充分。

全球每年可回收利用超过10 000 000 000（100亿）个铝制易拉罐。

我们一定能做到！

首次地球日庆祝活动在1970年4月22日举办。大约有20 000 000（2千万）人参加。

放学后，瑞安、卡莉和卢克去了附近的所有公园和球场，把看到的铝制易拉罐都收集起来。

第二天一早，瑞安、卡莉和卢克把捡到的所有易拉罐都带到了学校。他们把易拉罐全部倒进了大桶里。

"快看，已经有这么多易拉罐了！"卡莉说，"我就知道，我们一定能成功的！"

课间休息时，他们开始数易拉罐。最后，他们装满了 6 个大袋子，3 个小袋子，还余下 5 个易拉罐。

现在一共有635个罐子了——比我们上次在公园收集到的还要多！

卡莉把总数写到海报上。

沃森老师走了过来。"看来你们需要更大的袋子了，"她说，"我明天带一些过来。"

当瑞安、卡莉和卢克第二天再次去查看大桶时，易拉罐已经多到大桶装不下了。"最好请琼斯老师帮我们再找一些大桶来。"卡莉说。

现在，他们有 1 袋装有 1 000 个的，4 袋装有 100 个的，8 袋装有 10 个的，还余下 3 个易拉罐。

卡莉把总数写到了海报上。

　　瑞安、卡莉和卢克一直忙个不停。卢克在全校都张贴了宣传单。到了星期六，"拯救地球"俱乐部的成员们在附近挨家挨户地敲门。他们给大家分发瑞安设计的宣传单，并且准备了收集空易拉罐的大袋子。

回收一个铝制易拉罐所节省的能源足以让一个100瓦的灯泡发光约3.5小时。

25

26

星期一的早上，瑞安、卡莉和卢克已经没法往大桶里放新的易拉罐了，因为大桶全部装满了。

课间休息时，他们开始数易拉罐。直到课间休息结束，他们还没数完。沃森老师说他们可以不上今天的拼写课，先把这些易拉罐数完。

"你本来还认为这不是个好主意呢。"卡莉调侃卢克。

他们终于数完了全部易拉罐。现在一共有 2 袋装有 1 000 个的，
8 袋装有 100 个的，5 袋装有 10 个的，还余下 2 个易拉罐。

卢克把总数写在海报上。"我们做到了！"他大喊道。

放学后，沃森老师带着收集来的全部易拉罐去了回收中心。
星期六的早上，她开车带着卡莉、卢克和瑞安一起去了苗圃，
每个人都挑选了自己最喜欢的花。

关爱地球 保护空气

种下一棵树

那天下午，全班同学都去吉罗伊公园参加地球日庆祝活动。
他们做的第一件事就是在公园入口处栽上美丽的花儿。
公园看起来非常美，而且一丁点儿垃圾也没有。

31

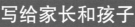

写给家长和孩子

　　《地球日，万岁》中所涉及的数学概念是位值。理解位值是孩子掌握较大数值的一个重要步骤。当孩子们开始用多位数进行计算时，了解 1、10、100 和 1 000 之间的关系是非常关键的。

　　对于《地球日，万岁》中所呈现的数学概念，如果你们想从中获得更多乐趣，有以下几条建议：

　　1. 当你和孩子一起读故事时，指出这些铝制易拉罐是如何按 10 个、100 个、1 000 个为一组收集在一起的。与孩子讨论一下，为什么 10 个 1 等于 10，10 个 10 等于 100，10 个 100 等于 1 000。

　　2. 重新讲述这个故事，改变故事中易拉罐的数量。例如，告诉孩子书里的人物已经收集了 5 袋 100 个的，6 袋 10 个的，还有 3 个余下的易拉罐。让孩子写下数字，并记下每次收集的总数。

　　3. 写下一个 3 位数，让孩子画出一袋袋不同位值的易拉罐来表示这个数字。

　　4. 把数字 0 到 9 写在 10 个纸盘上。把盘子倒扣过来，让孩子选择其中的 4 个翻开来，问一些如下类型的问题："利用这 4 个数字你能组合出的最大数字是多少？""最小数字是多少？"

讨论所组合出来的数字的位值。例如，如果孩子组合出 1 259，可以让他指出这个数字有 1 个 1 000，2 个 100，5 个 10，9 个 1。

如果你想将本书中的数学概念扩展到孩子的日常生活中，可以参考以下这些游戏：

1. 回收利用：与孩子讨论哪些物品是可以回收的，如报纸或废弃的铝制易拉罐。为该回收物设定一个目标回收数量，比如 100 个铝制易拉罐或 100 份报纸。让孩子一边收集一边记录数量，并且算出还需要回收多少件物品才能达到目标。

2. 猜数字：在脑海里想一个位值上的数字各不相同的 3 位数，让孩子来猜这个数字。孩子给出猜测后，告诉他哪些数字是正确的，但是位值不对，哪些数字是正确的，位值也对。例如，如果数字是 384，而孩子猜的是 412，你就说："4 是正确的，但位值不对。"让孩子继续猜，直到他猜到正确答案。

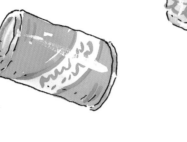

洛克数学启蒙

1

《虫虫大游行》	比较
《超人麦迪》	比较轻重
《一双袜子》	配对
《马戏团里的形状》	认识形状
《虫虫爱跳舞》	方位
《宇宙无敌舰长》	立体图形
《手套不见了》	奇数和偶数
《跳跃的蜥蜴》	按群计数
《车上的动物们》	加法
《怪兽音乐椅》	减法

2

《小小消防员》	分类
《1、2、3，茄子》	数字排序
《酷炫100天》	认识1~100
《嘀嘀，小汽车来了》	认识规律
《最棒的假期》	收集数据
《时间到了》	认识时间
《大了还是小了》	数字比较
《会数数的奥马利》	计数
《全部加一倍》	倍数
《狂欢购物节》	巧算加法

3

《人人都有蓝莓派》	加法进位
《鲨鱼游泳训练营》	两位数减法
《跳跳猴的游行》	按群计数
《袋鼠专属任务》	乘法算式
《给我分一半》	认识对半平分
《开心嘉年华》	除法
《地球日，万岁》	位值
《起床出发了》	认识时间线
《打喷嚏的马》	预测
《谁猜得对》	估算

4

《我的比较好》	面积
《小胡椒大事记》	认识日历
《柠檬汁特卖》	条形统计图
《圣代冰激凌》	排列组合
《波莉的笔友》	公制单位
《自行车环行赛》	周长
《也许是开心果》	概率
《比零还少》	负数
《灰熊日报》	百分比
《比赛时间到》	时间